Trish Deseine

les apéros de Trish

Photographies de Marie-Pierre Morel et de Sylvain Thomas

MARABOUT

sommaire

Royal Pimms

Fruits d'été : fraises, framboises, cerises
Feuilles de menthe
1/3 Pimms
2/3 champagne
Glaçons

Placez les fruits dans une coupe. Versez le Pimms puis le champagne et rajoutez les glaçons et la menthe.

Grand Marnier, orange pressée

Un grand classique doux et délicieux.

2/3 jus d'orange fraîchement pressé
1/3 Grand Marnier
Glace pilée
Rondelles d'orange

Cocktail à l'abricot

1/3 nectar d'abricot
1/3 cognac
1/3 champagne
Morceaux de sucre cassonade

Mélangez le nectar et le cognac. Ajoutez le champagne puis un morceau de sucre pour faire monter les bulles.

Mojito

10 cl de rhum blanc
2 c. à c. de sucre
4 ou 5 feuilles de menthe fraîche
Le jus de 1/2 citron vert
1 rondelle de citron vert
Glaçons
Club soda

Mettez tous les ingrédients sauf la rondelle de citron vert et le soda dans un shaker. Mixez, versez, rajoutez du club soda, la rondelle de citron vert puis servez.

Limonade rose, sirop à l'eau de rose

Ajoutez juste un trait de sirop à l'eau de rose dans la limonade et décorez de pétales de rose de votre jardin (non traitées).

Kir royal

Champagne
Liqueur de framboise
Framboises fraîches

Placez une framboise au fond des coupes, ajoutez un trait de liqueur de framboise et remplissez de champagne bien frais.

vite fait

Crevettes, sauce cocktail

Pour 6 personnes
Préparation : 5 minutes

1 carotte
1 quinzaine de crevettes roses
cuites et décortiquées
1 petit bol de sauce cocktail
(vous pouvez la faire vous-même
mais elle sera plus appréciée avec
du ketchup et de la mayo achetés ;
alors, à quoi bon ?)

Taillez une carotte et disposez
les crevettes à cheval dessus.
Posez la sauce à côté
et prévoyez une coupelle pour
les petits morceaux de queue.

Tartines de filets de rougets à la brandade

Faites cuire les rougets
à la vapeur (Picard en propose
d'excellents si vous n'en trouvez
pas chez votre poissonnier).
Posez-les sur les tartines
préalablement nappées
de brandade en pot que vous
dénicherez à côté du tarama
au rayon frais de votre
supermarché. Coiffez d'un
peu de citron vert.

Carpaccio de saumon, baies roses

Pour 6 personnes
Préparation : 5 minutes

150 à 200 g de carpaccio
de saumon frais
3 citrons coupés en quartiers
Fleur de sel, baies roses, poivre noir

Préparez joliment les ingrédients
et laissez vos invités mariner leurs
propres bouchées de saumon.

Tartines de beurre aux baies roses

Écrasez des baies roses dans du bon beurre à la fleur de sel puis étalez la préparation sur des tartines de pain de mie. C'est prêt.

Tartines de tarama et œufs de saumon sur pain noir

Pour 1 dizaine de petites tartines
Préparation : 5 minutes

3 ou 4 tranches de pain noir
1 pot de tarama de saumon
1 pot d'œufs de saumon

Tartinez les tranches de pain avec le tarama puis rajoutez les œufs de saumon.

Croustades de crevettes cocktail au radis

Mélangez des crevettes roses avec de la mayonnaise, un peu de ketchup, du jus de citron, de la fleur de sel et du poivre. Déposez ce mélange dans les croustades et décorez de quelques rondelles de radis pour le croquant.

Poire séchée et roquefort

Pour 4 personnes | Préparation : 3 minutes

4 tranches de pain
4 lamelles de poire séchée
120 g de roquefort (ou autre fromage bleu)

Posez une tranche de poire sur une tranche
de pain, suivie d'un morceau de roquefort,
légèrement cassé.

Asperges, melon et pignons grillés

Pour 6 personnes | Préparation : 10 minutes |
Cuisson : 10 minutes

6 tranches de pain grillé
8 asperges vertes
1/2 melon
1 c. à s. de pignons de pin

Mettez les asperges à cuire à la vapeur
6 à 8 minutes.
Pendant ce temps, faites griller les pignons
au four à 180 °C ou dans une poêle pendant
3 minutes.

Tranchez le melon en fines lamelles, ôtez les têtes
des asperges et découpez-les dans la longueur.
Alternez les deux ingrédients sur les tartines
grillées puis parsemez de pignons.

Tomates, houmous et ail rôti

Pour 6 personnes | Préparation : 3 minutes |
Cuisson : 15 minutes

6 tranches de pain grillé
6 c. à s. de houmous
6 gousses d'ail
6 petites tomates
Fleur de sel et poivre

Faites rôtir l'ail en chemise 15 minutes environ
au four à 180 °C et laissez-le refroidir.
Posez le houmous sur le pain avec une tomate
coupée en deux ainsi que la gousse d'ail rôtie.
Parsemez de fleur de sel et de poivre.

Tartines de tête de moine aux tomates confites

Une découverte de mon Pitou chéri. Même si rien ne fond sur la langue comme la tête de moine, vous pouvez la remplacer par de l'edam ou de la mimolette jeune. N'oubliez pas d'enlever la croûte !

Pour tout le monde
Préparation : 5 minutes
Cuisson : 2 heures

1 fromage tête de moine et sa girolle

3 ou 4 grappes de tomates cerises

Huile d'olive

Fleur de sel, poivre

Tranches de bon pain de campagne

Préchauffez le four à 120 °C.

Placez les tomates dans un plat allant au four et arrosez d'un peu d'huile d'olive. Secouez doucement les tomates pour qu'elles ne collent pas.

Faites rôtir pendant 2 heures.

Servez accompagné de la girolle, de bon pain, de fleur de sel et de poivre afin que tout le monde puisse se servir à sa guise.

Coleslaw et betterave

Pour 6 personnes | Préparation : 3 minutes

6 tranches de pain grillé
1 petit pot de coleslaw
4 petites betteraves ou 1 grande

Tartinez le pain de coleslaw puis déposez
une tranche de betterave. Ne préparez pas cette
tartine trop en avance car le jus de betterave tache
le coleslaw.

Champignons, raisin et persil

Pour 4 personnes | Préparation : 3 minutes

4 tranches de pain
6 à 8 champignons de Paris coupés en fines lamelles
8 à 10 raisins tranchés en deux
Quelques brins de persil plat
Le jus de 1/2 citron

Mélangez les lamelles de champignons avec
le jus de citron. Disposez les champignons
avec les raisins sur le pain puis coiffez d'un brin
de persil.

Pousses d'épinards, prosciutto et raisin

Pour 6 personnes | Préparation : 3 minutes

6 tranches de pain grillé
6 petites pousses d'épinards
3 tranches de prosciutto
6 à 8 raisins

Sur la tartine, posez une pousse d'épinard
« en coupelle » et remplissez-la de jambon
et de raisin.

Tartines de prosciutto aux fruits et sauce mostarda

Pour 4 personnes
Préparation : 10 minutes
Cuisson : 5 minutes

1 boule de pain
de campagne, Poilâne
ou similaire

8 tranches très fines
de prosciutto

1 nectarine

1 figue

1 pêche

1 melon

30 cl de vin rouge

100 g de sucre

1 c. à s. de bonne moutarde
forte

1 feuille de laurier

Fleur de sel et poivre blanc

Huile d'olive

Faites bouillir le vin et le sucre avec la feuille de laurier jusqu'à l'obtention d'un sirop léger. Ajoutez la moutarde et fouettez.
Coupez les fruits en lamelles et disposez-les sur une tranche de pain, humidifiée à l'huile d'olive.
Effeuillez le jambon et posez-le sur les fruits.
Versez la sauce autour, assaisonnez et servez.

Idée La sauce mostarda est souvent mon sauveur lors des repas improvisés de l'été. Grâce à elle, l'éternel jambon cru/melon devient tout de suite un peu plus spécial. Mais bien que cette sauce puisse maquiller facilement des fruits médiocres, ne servez ce plat que lorsque les fruits sont au top !

Laissez votre inspiration vous guider. Les tartines sont déclinables à l'infini et très pratiques pour combler les faims sans trop de travail. Ce sont simplement des tranches de pain légèrement grillées, parfois frottées à l'ail, avec un peu d'huile d'olive. Un pain de campagne tranché conviendra pour les *bruschette* et une baguette pour les *crostini*. Voici quelques combinaisons sucré-salé.

Foie gras, abricots secs, poivre / Lard, melon / Pecorino, chutney bacon, oranges / Nectarine, chorizo
La nature nous fournit de nombreux récipients comestibles prêts à l'emploi. Profitez-en.

Poivrons rôtis, huile d'olive et basilic

Posez une ou deux lamelles de poivrons grillés sur une tranche de pain de votre choix en mélangeant les couleurs. Laissez couler quelques gouttes d'huile d'olive et assaisonnez.

Foie gras aux deux figues

Hachez les figues, posez une tranche de foie gras mi-cuit sur le pain légèrement huilé (surtout pas d'ail), parsemez de fleur de sel et de poivre blanc puis terminez par une cuillerée à café du mélange de figues.

Amandes, basilic, câpres et olives

Concassez les amandes et ajoutez les autres ingrédients. Versez de l'huile d'olive, salez, poivrez. Étalez ce mélange sur le pain grillé et aillé.

Tomme et confiture de cerises noires

Posez une tranche de fromage sur le pain et recouvrez d'une cuillerée de confiture.

Pancetta et raisins

Sur les tartines, posez la pancetta et parsemez les demi-raisins dessus.

Coppa, abricots secs et pignons de pin

Déposez la coppa puis les abricots et décorez avec les pignons.

Foie gras frais

Posez des lamelles assez épaisses (1 cm) sur le pain grillé chaud, parsemez de fleur de sel et de poivre blanc. Vous pouvez bien sûr poêler le foie si vos invités ne sont pas des adeptes du cru.

Pecorino, figues fraîches et miel

Alternez les tranches de fromage avec celles des figues puis faites couler un peu de miel dessus.

Crostini à la confiture d'oignons rouges et fromage de chèvre

Pour 6 à 8 personnes
Préparation : 10 minutes
Cuisson : 1 heure

80 g de raisin blond
Huile d'olive
500 g d'oignons rouges
tranchés finement
80 g de sucre
15 cl de vin rouge
2 c. à s. de vinaigre
balsamique
1 c. à s. de crème
de cassis
2 ficelles
3 crottins de chèvre frais

Faites gonfler les raisins dans de l'eau chaude pendant 30 minutes environ. Égouttez et réservez.

Chauffez 2 ou 3 cuillers à soupe d'huile dans une poêle. Faites dorer les oignons 10 à 15 minutes à feu moyen.

Ajoutez le sucre, baissez le feu et laissez cuire pendant 10 minutes de plus jusqu'à ce que les oignons soient bien fondants et caramélisés.

Versez le raisin, le vin, le vinaigre et la crème de cassis. Continuez à cuire 25 à 30 minutes jusqu'à ce que tout le liquide soit absorbé. Assaisonnez et laissez refroidir.

Préchauffez votre four à 180 °C.

Coupez les ficelles en rondelles et posez-les sur une plaque allant au four. Versez quelques gouttes d'huile sur chaque morceau. Faites dorer au four 4 à 5 minutes.

Laissez refroidir avant d'étaler la confiture d'oignons. Posez un petit morceau de fromage sur chaque crostini.

Torsades

Sésame et pavot

Pour 6 personnes | Préparation : 10 minutes |
Cuisson : 10 minutes

1 pâte feuilletée
2 c. à s. de graines de sésame
2 c. à s. de graines de pavot
1 œuf

Étalez une pâte feuilletée et badigeonnez d'œuf
battu. Parsemez des graines de pavot et de sésame
dans la pâte. Coupez et tordez des lamelles
de 1,5 cm dans la pâte feuilletée. Avec un pinceau,
badigeonnez encore un peu d'œuf. Faites dorer
sur une plaque beurrée au four à 200 °C pendant
8 à 10 minutes.

Anchois

Pour 6 personnes | Préparation : 10 minutes |
Cuisson : 10 minutes

1 pâte feuilletée
1 petit pot d'anchois à l'huile d'olive
2 c. à s. d'huile d'olive
1 œuf

Déroulez la pâte feuilletée, coupez-la en deux
longueurs et badigeonnez d'œuf battu. Écrasez
des anchois dans un peu d'huile d'olive, étalez
ce mélange sur une moitié de la pâte puis couvrez
avec l'autre moitié de pâte. La suite se déroule
comme dans la recette ci-dessus.

Fromage

Pour 6 personnes | Préparation : 10 minutes |
Cuisson : 10 minutes

1 pâte feuilletée
5 ou 6 c. à s. de fromage râpé (pecorino, cheddar,
manchego, gruyère)
1 œuf battu

Pour cette recette, remplacez les anchois par l'un
de ces fromages. Pressez bien les bords de la pâte
pour qu'il ne coule pas.

Toasts aux pistaches et aux amandes

Pour 20 à 30 toasts
Préparation : 5 minutes
Cuisson : quelques minutes

150 g de pistaches vertes
émondées

80 g d'amandes émondées

100 g de parmesan

2 c. à s. de basilic frais

3 c. à s. d'huile d'olive

Sel, poivre

5 tranches de pain
de mie anglais

Réduisez tous les ingrédients en pâte dans un mini robot.

Tartinez des carrés de pain de mie puis passez au four sous le gril pendant quelques minutes.

Servez immédiatement.

Croûtons aux amandes

Pour 48 croûtons
Préparation : 15 minutes
Cuisson : 5 minutes

80 g d'amandes hachées
1 c. à c. de fleur de sel
12 tranches de pain de mie anglais coupées en carré
150 g de beurre salé fondu

Préchauffez le four à 200 °C.

Mélangez les amandes et le sel. Trempez chaque face des morceaux de pain dans le beurre fondu puis dans les amandes. Posez-les sur du papier sulfurisé ou un tapis de silicone sur une plaque allant au four et faites-les dorer pendant 5 minutes environ.

Sortez du four et faites refroidir sur une grille.

Pita, feta et olives

Pour 6 personnes | Préparation : 3 minutes

1 paquet de mini pitas
1 tranche de feta
12 olives dénoyautées
Huile d'olive
Poivre noir
Piques en bois

Passez les pitas quelques minutes au four
ou au grille-pain avant de les utiliser.
Coupez ou émiettez la feta sur le pain.
Versez quelques gouttes d'huile d'olive,
ajoutez 1 ou 2 olives coupées en dés,
du poivre noir puis fermez. Maintenez
avec des piques.

Pain polaire et saumon fumé

Pour 6 personnes | Préparation : 5 minutes

6 tranches de pain scandinave (pain mou
et légèrement sucré)
6 à 8 tranches de saumon fumé
1 petit pot de câpres
1 petit pot de crème fraîche
1 citron
Poivre noir

Étalez le saumon sur la tartine. Arrosez
de quelques gouttes de citron, posez quelques
câpres et poivrez. Ajoutez une cuillère à café
de crème fraîche et refermez le tout.
Coupez les pains en quartiers.

Pain anglais au concombre

Pour 6 personnes | Préparation : 10 minutes

6 tranches de pain de mie
1 concombre
Beurre
Sel et poivre blanc

Épluchez et tranchez le concombre en rondelles
très fines. Beurrez légèrement les tranches
de pain, étalez deux fines couches de concombre
puis découpez les sandwichs en triangles réguliers
après en avoir ôté la croûte.

Tomate, chili

Pour un grand bol à café | Préparation : 3 minutes

50 g de bonne pulpe de tomate vendue au rayon frais,
ou de tomates pelées en boîte
2 c. à s. d'huile d'olive
1 c. à c. de sauce chili chinoise
Sel, poivre

Mélangez tous les ingrédients en ajoutant de
la sauce chili si vous aimez les sensations fortes.

Avocat, tomate, mascarpone
et citron vert

Pour un grand bol à café | Préparation : 10 minutes

1 tomate
2 avocats épluchés
2 c. à s. de mascarpone
Le jus de 2 citrons verts
Sel, poivre

Ébouillantez la tomate 30 secondes afin d'enlever
sa peau. Coupez-la en dés.
Écrasez l'avocat avec les autres ingrédients
puis assaisonnez.
Ajoutez les tomates et mélangez.

Feta, poivrons

Pour un grand bol à café | Préparation : 15 minutes

250 g de feta grecque émiettée
1 poivron rouge taillé en tout petits dés
10 cl de crème fleurette fraîche
Fleur de sel, poivre

Mélangez tous les ingrédients avec une fourchette
afin d'obtenir une consistance homogène.

Houmous, pignons grillés

Pour un grand bol à café | Préparation : 5 minutes |
Cuisson : 15 minutes

1 grande boîte de pois chiches
3 ou 4 c. à s. d'huile d'olive
Le jus de 2 citrons
2 c. à s. de purée de sésame
(ou tahina, que vous trouverez dans les boutiques
diététiques ou au rayon produits exotiques)
Sel, poivre
4 ou 5 c. à s. de pignons grillés

Égouttez et rincez les pois chiches. Placez-les
dans une casserole, couvrez d'eau et laissez cuire
pendant 15 minutes.

Égouttez de nouveau. Mixez, laissez refroidir puis
ajoutez l'huile, le jus de citron, la purée de sésame
et la moitié des pignons. Assaisonnez.

Servez dans un bol, pour dipper ou tartiner, décoré
du reste des pignons.

Houmous

Pour 6 à 8 personnes
Préparation : 15 minutes

1 boîte de pois chiches
3 c. à s. de tahina
(purée de sésame)
1 gousse d'ail
Jus de 2 citrons
Huile d'olive
Sel
Poivre

Égouttez et rincez les pois chiches, puis faites-les réchauffer 10 minutes dans une eau bouillante.

Mélangez-les avec la tahina, la gousse d'ail coupée en quatre, le jus des citrons, le sel, le poivre et l'huile d'olive dans le robot puis réduisez en purée très fine.

Idée Vous pouvez remplacer la tahina et l'ail pour faire les délicieuses variations suivantes :

• Houmous et beurre de cacahuète : ajoutez 2 cuillers à soupe de beurre de cacahuète *crunchy* et mélangez avec un peu d'eau pour éviter qu'il ne soit trop pâteux.

• Houmous et poivron grillé : ajoutez 1 poivron grillé et pelé dans le robot.

Houmous de petits pois aux amandes

Pour 6 personnes
Cuisson : 10 minutes
Préparation : 5 minutes

350 g de petits pois surgelés

1 gousse d'ail

Le jus de 2 citrons, voire davantage si ce n'est pas assez onctueux

4 ou 5 c. à s. d'huile d'olive

2 ou 3 c. à s. d'amandes hachées

2 c. à s. de purée d'amandes (dans les magasins diététiques) ou de tahina (purée de sésame, plus facile à trouver)

Fleur de sel, poivre noir

Persil plat

Faites cuire les petits pois dans l'eau bouillante jusqu'à ce qu'ils soient bien fondants. Réduisez-les en purée dans un robot avec la gousse d'ail. Ajoutez les autres ingrédients et mélangez bien.

Hachez le persil plat et servez avec du pain lavash.

Avocat, feta, tomate

Pour 4 à 6 personnes
Préparation : 5 minutes

1 gros avocat
Jus d'un citron
50 g de feta
1 grosse tomate
15 cl de crème fraîche
Poivre noir
Tabasco

Mixez l'avocat et la crème. Ajoutez la feta émiettée et la tomate coupée en petits dés.

Assaisonnez de Tabasco et poivrez.

Servez immédiatement car l'avocat noircit même avec le jus de citron.

Confit d'oignons

Pour 6 personnes
Préparation : 10 minutes
Cuisson : 25 minutes

6 oignons
3 c. à s. d'huile d'olive
1 c. à s. de sucre
2 c. à c. de ras el-hanout
(mélange marocain d'épices)
Beurre

Épluchez et hachez finement les oignons. Faites-les blondir sur feu doux dans le beurre et l'huile. Laissez dorer très doucement puis saupoudrez de sucre semoule. Continuez jusqu'à ce que le mélange se caramélise légèrement (le tout devrait prendre une vingtaine de minutes).

Versez le tout dans un robot, ajoutez le ras el-hanout et mixez en purée très fine.

Sardines fraîches et en boîte

Fraîches, les sardines sont relativement faciles à nettoyer et à découper en filets, mais rien ne vaut l'aide d'un poissonnier...

Faites-les mariner dans de l'huile d'olive avec des herbes et du jus de citron, puis posez-les sur des tartines de bon pain grillé en ajoutant une tomate séchée si l'occasion se présente.

Profitez de la grande mode des sardines millésimées pour servir l'apéro le plus tendance du moment. Pour atteindre le summum de la simplicité sophistiquée, couchez avec amour votre sardine sur un lit de beurre salé à la fleur de sel des marais salants du village des Portes-en-Ré ou laissez-la nonchalamment reposer dans sa boîte de luxe.

Si vous restez un être sensé et que vous ne possédez que des boîtes roturières, mélangez vos sous-sardines avec du Saint-Moret, du citron et un peu de piment avant de les étaler sur du pain grillé.

Bouchées de riz à la noix de coco et au concombre

Pour 1 douzaine
de rouleaux
Préparation : 15 minutes
Cuisson : 15 minutes

50 g de riz thaï
2 ou 3 c. à s. de lait de coco
1 concombre
Coriandre fraîche
Sel, poivre

Faites cuire le riz dans de l'eau. Lorsqu'il est presque cuit, rajoutez le lait de coco et laissez cuire de nouveau jusqu'à ce qu'il soit bien fondant. Assaisonnez et laissez refroidir.

Coupez de longues lamelles de concombre avec un économe. Roulez-les autour de boulettes de riz formées avec les doigts. Fixez le tout avec une pique et une feuille de coriandre.

Servez avec une sauce satay (achetée).

Aubergines grillées et roulées à la tomate et au Saint-Moret

Pour 1 vingtaine
de rouleaux
Préparation : 5 minutes

1 paquet d'aubergines grillées de chez Picard, dégelées

1 pot de confit de tomate

1 barquette de Saint-Moret

Coupez les aubergines afin de garder un côté noir.

Étalez un peu de tomate, mais pas trop. Faites en sorte que le rouge ne se voit pas.

Étalez du Saint-Moret, roulez le tout puis fermez avec une pique.

Mini bouchées à la reine ou presque

Une petite entorse à la tradition : ici, nous nous passerons de ris de veau et de quenelles, histoire d'épargner notre portefeuille et de ménager les invités qui n'apprécient pas les abats barbotant dans la sauce.

Pour 18 mini bouchées
Préparation : 20 minutes

50 g de beurre
2 c. à s. de farine
75 cl de bouillon de volaille
5 blancs de poulet légèrement pochés, coupés en morceaux
150 g de champignons blancs hachés finement
10 cl de crème fraîche
18 bouchées en pâte feuilletée
Sel, poivre

Faites fondre le beurre dans une casserole, ajoutez la farine et cuisez quelques minutes en remuant. Mouillez avec le bouillon de volaille puis portez à ébullition.
Ajoutez le poulet, les champignons et cuisez 10 minutes environ. Ajoutez la crème, assaisonnez et remplissez les bouchées de pâte feuilletée préalablement réchauffées 5 minutes au four. Vous pouvez préparer la sauce à l'avance et remplir les bouchées juste avant de servir.

Tartelettes de hachis de joues de bœuf

Pour 18 tartelettes
Préparation : 30 minutes
Cuisson : 3 heures

2 c. à s. d'huile d'olive

1,5 kg de joues de bœuf

3 carottes épluchées
et coupées en rondelles

3 navets épluchés
et taillés en morceaux

2 branches de céleri
coupées en morceaux

Thym, laurier

1 bouteille de vin rouge

1 oignon piqué de 2 clous
de girofle

Sel, poivre

7 ou 8 belles pommes
de terre BF15 épluchées

15 cl de crème fleurette
fraîche

30 g de beurre salé

HP sauce, Worcestershire
sauce ou moutarde

18 fonds de tartelette

100 g de gruyère râpé

Faites chauffer l'huile dans une cocotte en fonte et dorez la viande sur toute sa surface. Ajoutez les légumes et les herbes puis faites revenir quelques minutes de plus. Mouillez avec le vin, ajoutez l'oignon, un peu de sel et de poivre (mais pas trop, car le liquide va beaucoup réduire). Couvrez et laissez cuire à feu doux pendant au moins 3 heures. Ajoutez de l'eau si les joues manquent de liquide.

Faites cuire les pommes de terre à l'eau jusqu'à ce qu'elles soient bien fondantes puis réduisez-les en purée avec la crème, le beurre, du sel et du poivre.

Émiettez la viande, assaisonnez-la avec du sel, du poivre et de la HP sauce.

Posez un peu de viande dans chaque fond de tartelette, couvrez de purée de pommes de terre et parsemez de gruyère.

Passez au four à 180 °C pendant 5 minutes avant de servir.

Je propose ces petits-fours tout le temps soit à l'apéritif, soit pour remplacer le très bourratif et sempiternel plateau de fromages. Vous pouvez aussi le servir sur plusieurs petites assiettes comme s'il s'agissait des petits-fours sucrés que l'on offre dans les bons restaurants après le dessert.

Dattes farcies au foie gras

Pour 6 personnes | Préparation : 15 minutes

1 paquet de dattes dénoyautées
150 g de foie gras mi-cuit
Fleur de sel

Mettez des noisettes de foie gras dans les dattes. Déposez quelques grains de fleur de sel sur le bord du foie juste avant de servir.

Abricots et pruneaux au fromage bleu (roquefort, gorgonzola, stilton, bleu de Bresse)

Selon la force du fromage, mélangez-le avec un peu de crème fraîche ou de mascarpone et farcissez les fruits ouverts sur le dessus pour les pruneaux et sur le côté pour les abricots.

Parmesan aux pignons

Râpez du parmesan frais, mélangez-le avec du Kiri ou du Saint-Moret. Confectionnez des petites boules que vous roulerez dans les pignons de pin.

Chèvre aux noisettes ou aux amandes hachées

Faites des petites boules avec du valençay, roulées dans des noisettes hachées et grillées.

Chèvre aux raisins secs

Répétez l'opération avec des raisins secs.

Salers aux noix de pécan ou aux noix

Râpez du salers, mélangez-le avec du Kiri ou du Saint-Moret. Formez des petits lingots et entourez de 3 demi-noix de pécan, posées sur les côtés et le dessus.

Tomates crues, séchées et confites

C'est fou, ce matin j'ai trouvé 6 variétés de tomates chez mon marchand de légumes. Heureusement aujourd'hui, le goût est pris en compte dans la course à la variété : les tomates cerises que vous servirez crues à l'apéro avec de la fleur de sel − of course ! − et de l'huile d'olive pourraient même être bonnes.

Les tomates séchées en pot ou en vrac feront l'affaire. Elles ont l'avantage d'être marinées en avance.

Si vous voulez vraiment gâter vos invités, prenez le temps de confire les petites tomates. Vous n'aurez qu'à les poser sur des tranches de pain grillé, éventuellement frottées d'ail, et attendre l'avalanche de compliments.

Poivrons grillés marinés

J'en pense le plus grand bien. Un peu fastidieux à préparer, ils sont quand même meilleurs faits maison qu'en conserve.

Fruits secs poêlés aux épices

Pour 6 personnes | Préparation : 3 minutes | Cuisson : 5 minutes

250 g de fruits secs (amandes, noisettes, noix de pécan,
de cajou, de macadamia, cacahuètes) émondés et non salés
1 c. à c. de mélange d'épices (cumin, cannelle, muscade, curry, etc.)
Fleur de sel

Faites griller les fruits à la poêle avec les épices pendant quelques minutes.
Ajoutez de la fleur de sel et remuez avant de servir.

Mini poivrons farcis de brandade

Avec la disparition de Marks et Spencers en France (un grand drame dans ma vie
de consommatrice), les mini légumes étaient difficiles à trouver régulièrement
sur les étals. J'ai remarqué qu'ils faisaient un come-back depuis peu. Vous pouvez
toujours les commander chez votre primeur ou même au supermarché.

Endives, camembert, airelles

Faites pocher quelques airelles dans de l'eau. Ajoutez un peu de sucre à la fin pour
atténuer leur acidité. Remplissez les feuilles d'endives avec un morceau de camembert
et quelques airelles pochées.

Pommes de terre, raifort, anguille fumée

Faites cuire les pommes de terre à l'eau ou à la vapeur. Coupez-les en deux, tartinez-les
de sauce raifort et posez un morceau d'anguille fumée sur chaque moitié.

Tomates cerises farcies quatre façons

Elles sont incontournables. C'est tout de même merveilleux de pouvoir manger à la fois le contenant et le contenu. De plus, on en trouve aujourd'hui de plusieurs tailles, souvent très parfumées. Il est vrai que ça prend un peu de temps de les évider, mais il existe un outil conçu spécialement pour cela. Laissez le pédoncule sur le chapeau et reposez-le sur la tomate farcie ou posez-le à côté. C'est joli et c'est cette partie-là qui sent bon !

Pour 6 à 8 personnes
Préparation : 35 minutes

32 petites tomates
(8 par variante)
1 petit pot de rillettes
de saumon
1 petit pot d'œufs
de saumon
1 petit pot de tapenade
Feuilles de basilic
50 g de ricotta
(cottage cheese ou brousse)
1 c. à c. de ciboulette
finement hachée
2 œufs brouillés
1 tranche de jambon cru

Saumon

Farcissez les tomates de rillettes et coiffez-les de quelques œufs.

Tapenade

Remplissez les tomates avec de la tapenade et décorez avec du basilic frais.

Ricotta et ciboulette

Mélangez les deux ingrédients et farcissez-en les tomates.

Œufs brouillés et jambon

Découpez le jambon en petits morceaux, mélangez-le aux œufs et remplissez les tomates.

Ploughman's lunch (Le déjeuner du laboureur)

Spécialité servie dans les pubs, il s'agit d'une grande assiette de crudités, de fromages, de chutney, de pickles et de pain. Très pratique en amuse-bouche, « en kit », pour que chacun puisse préparer ses propres tartines ou simplement grignoter quelques crudités.

Pour 10 personnes
Préparation : 20 minutes

4 carottes épluchées et coupées en bâtonnets

4 branches de céleri taillées en bâtonnets

10 petites feuilles de cœur de laitue

1 vingtaine de radis

1 vingtaine de petits oignons blancs au vinaigre

300 g de stilton

300 g de cheddar

Beurre

5 c. à s. de chutney (achetez-le au rayon produits étrangers de votre supermarché)

Arrangez tous les ingrédients sur une planche ou une jolie assiette. Prévoyez des couteaux et des petites assiettes pour que chacun puisse se servir.

Shopping

Asa : vaisselle pp. 27, 39, 47.

Astier de Villatte : assiette p. 49.

Haviland : plateau par François Bauchet p. 63.

Le Bon marché : cuillère p. 65.

Tutti Fiesta : assiettes en carton pp. 23, 29.

Carnet d'adresses

Asa
En vente dans les grands magasins et les magasins spécialisés

Astier de Villatte
173, rue Saint-Honoré 75001 Paris

Le Bon marché
24, rue de Sèvres 75007 Paris

Haviland
25, rue Royale 75008 Paris

Tutti Fiesta
32, rue des Vignoles 75020 Paris

© Marabout 2006
ISBN : 2501048938
40.9826.5/01
Dépôt légal : 71710 - Juin 2006
Imprimé en France par pollina - n° L99778